AF220981

978 3127318043

Lambacher Schweizer

GTR-Verfahren
mit CASIO-Rechnern

erarbeitet von
Ute Reinhardt

unter Mitwirkung von
Barbara Heußen
Jörg Stark

Inhaltsverzeichnis

Ernst Klett Verlag
Stuttgart · Leipzig

1 Der Taschenrechner

Der bisherige Schulrechner CFX-9850GC PLUS (oder CFX-9850GB PLUS) wird durch zwei mögliche Nachfolger abgelöst.

CFX-9850GC PLUS	fx-9860G	fx-9860GII
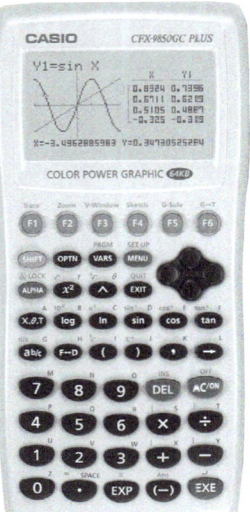		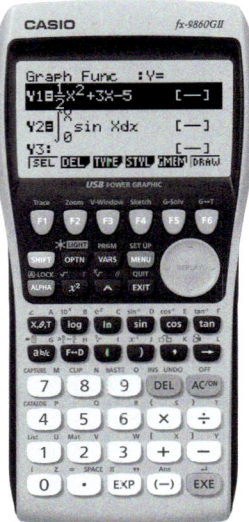

Die meisten Funktionen sind mit dem bisherigen Rechner auch möglich, so dass diese Anleitung auch für die noch vorhandenen alten Rechner genützt werden kann. Auf der Internetseite http://www.casio-schulrechner.de/de/downloads/ stehen Dateien zur Verfügung, mit der die alten Rechner nachgerüstet werden können. Hier wird davon ausgegangen, dass die bisherigen Rechner nicht nachgerüstet worden sind.

Bei dieser Anleitung wird mit dem Rechner fx-9860GII gearbeitet. Sollten Funktionen mit den bisherigen Rechnern anders oder nicht möglich sein, wird darauf hingewiesen. Es gibt ein Update (9860_osup_200.zip) für den fx-9860G, so dass man die Hinweise "nur für den fx-9860GII" auch für den fx-9860G mit Update nützen kann.

Im GRAPH-Menü ist bei der 9850er Serie keine direkte Zahleneingabe möglich. Hier muss man den Cursor an den entsprechenden Punkt bewegen. Da der Cursor pixelweise bewegt wird, ist eine exakte Eingabe dort nicht möglich. Hier sind die Berechnungen im RUN-Menü vorzuziehen.

Das Vorgehen orientiert sich an den Themen der Oberstufe im beruflichen Gymnasium Baden-Württemberg. Vorangestellt werden einige grundlegende Bedienungsanleitungen und das Lösen von Gleichungen und Gleichungssystemen.

Tasten

Hauptmenü

Optionen für Befehle und Variablen

Taste für Potenzen

Variablentaste

Umwandlung Bruch - Dezimalzahl

Dezimalpunkt

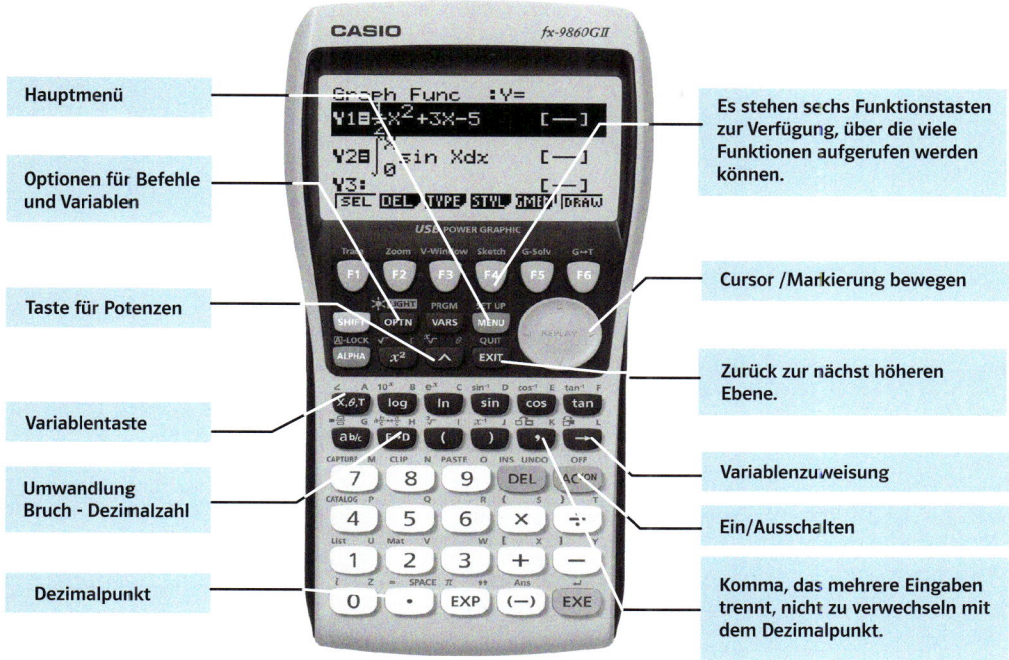

Es stehen sechs Funktionstasten zur Verfügung, über die viele Funktionen aufgerufen werden können.

Cursor /Markierung bewegen

Zurück zur nächst höheren Ebene.

Variablenzuweisung

Ein/Ausschalten

Komma, das mehrere Eingaben trennt, nicht zu verwechseln mit dem Dezimalpunkt.

Menüs

Die Funktionen sind thematisch in 16 verschiedene Hauptmenüs unterteilt.
Das gewünschte Menü kann durch Eingabe der Nummer bzw. des Buchstabens (vgl. Display unten rechts) aufgerufen werden.
Alternativ navigiert man die Markierung zum entsprechenden Menü über die
Pfeiltasten 🔘 (◀ ▶ ▼ ▲)
Man erhält die Menü-Übersicht stets mit der ⌨MENU⌨ Taste.
(Bemerkungen:
Beim CFX-9850GC PLUS sind es 3 mal 5 Symbolfelder (Ikonen).
Menü 3 ist dort die Matrizeneingabe, die inzwischen in das RUN-MAT-Menü integriert ist.
Beim fx-9860G fehlt das Menü D, die drei folgenden sind mit den Buchstaben D bis F durchnummeriert.)

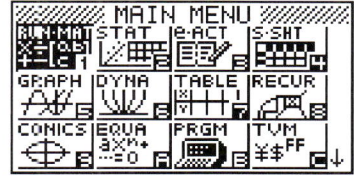

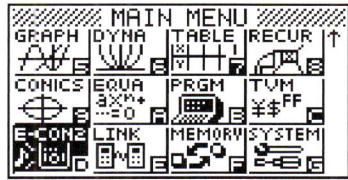

Die wichtigsten Hauptmenüs:

RUN-MAT(1)

STAT (2)

GRAPH (5)

TABLE (7)

EQUA (A)

(Im CFX-9850GC PLUS werden Matrizen im MAT-Menü (3) eingegeben, das in den neueren Rechnern in das RUN-Menü integriert wurde.)

Aufrufen eines Menüs

Man bewegt die Markierung mit den Pfeiltasten zum gewünschten Menü oder gibt einfach die Nummer ein; mit [EXE] bestätigen.

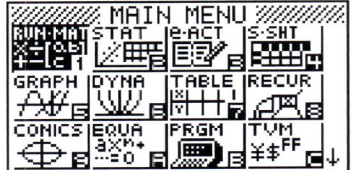

Untermenüs

Mit einer Funktionstaste ([F1] bis [F6]) kann das darüber stehende Untermenü geöffnet werden. Befindet man sich in der Ebene eines Untermenüs kann man mit der [EXIT]-Taste wieder in die nächst höhere Ebene zurückkehren. Zum Wechseln der Hauptmenüs wählt man die [MENU]-Taste, die von jeder Ebene aus bedient werden kann. Ab der 60er Serie bleibt die Unterebene nach dem Abschalten erhalten.

„Syntax-ERROR"

Bei fehlerhafter Eingabe erscheint die Fehlermeldung „Syntax-ERROR". Ab der 9860er-Serie kann man mit der [EXIT]-Taste zurück zur Rechnung gelangen. Beim CFX-9850GC PLUS muss man mit der [AC/ON]-Taste zurückkehren. Im RUN-Menü ist dann der Bildschirm gelöscht. Die letzten Rechnungen kann man aber mit ⊙ wieder aufrufen. Mit ⊙ lässt sich die entsprechende Rechnung korrigieren.

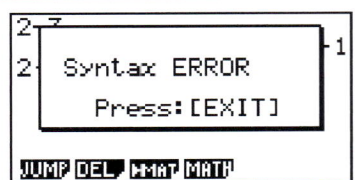

Vorzeichen oder Rechenzeichen

Bei der Eingabe muss das Minus als Vorzeichen [(-)] vom Minus als Rechenzeichen [−] unterschieden werden. Auf dem Display erscheint das Rechenzeichen länger als das Vorzeichen. Es kann sonst zu der Fehlermeldung Syntax-ERROR kommen. Eine Korrektur muss wie oben beschrieben erfolgen.

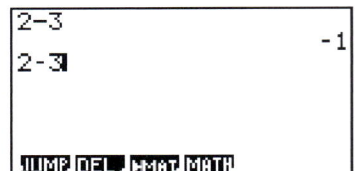

Eingabemodus

Ab der 9860er-Serie stehen zwei Eingabemodi (linearer oder mathematischer Modus) zur Verfügung. Beim CFX-9850GC PLUS ist nur der lineare Modus möglich. Die Einstellung geht über die Tastenkombination [SHIFT] [MENU], wenn man sich bereits im RUN-MAT-Menü (1), im GRAPH-Menü (5) oder im TABLE-Menü (7) befindet.
Beim linearen Eingabemodus wird alles nacheinander als Text geschrieben, während beim mathematischen Eingabemodus auf dem Display die mathematische Schreibweise imitiert wird und für die Eingabe Felder zur Verfügung stehen. Beim fx-9860G steht der mathematische Modus nur im RUN-MAT-Menü zur Verfügung.

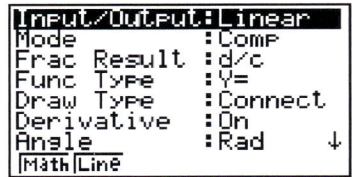

Sprache einstellen

Ab der 9860er-Serie ist es möglich im Menü System (beim fx-9680G: F und beim fx-9860GII: G) mit [F3] die Sprache auf Deutsch umzustellen.

2 Berechnungen

Eingabe

Die Eingabe erfolgt im linearen Modus nacheinander. Der Cursor ist im linearen Modus ein Strich, der ab der 9860er-Serie zum Einfügen hochgestellt und zum Überschreiben quergestellt ist. (Beim CFX-9850GC PLUS nur quergestellt zum Überschreiben. Einfügen kann man mit der Tastenkombination [SHIFT] [DEL].)

Im mathematischen Modus wird das Format durch Felder vorgegeben, die anschließend ausgefüllt werden. Man muss daher z.B. zuerst die Bruchtaste betätigen und füllt anschließend Zähler und Nenner aus.

Einfügen   Überschreiben

Bruchtaste   Zahlen eintragen

Display löschen

Im linearen Eingabemodus wird das Display über die [AC/ON] Taste gelöscht. Dagegen kann man im mathematischen Eingabemodus zeilenweise oder alles löschen.
Zeilenweise löschen:
Cursor in die entsprechende Zeile und [F2] (DEL) [F1] (DEL L)
Ganzes Display löschen:
[F2] (DEL) [F2] (DEL A).

Zeile korrigieren

Im linearen Eingabemodus kann man durch ▲ (Cursor nach oben) in die vorherigen Zeilen gelangen. Mit ◄ (Cursor nach links) kann die entsprechende Zeile korrigiert werden. Im mathematischen Eingabemodus kann man mit den Funktionstasten springen. Mit [F1] (JUMP) kann man den Cursor an verschiedene Positionen setzen:

[F1] (TOP) ganz nach oben   [F2] (BTM) bereit zur neuen Eingabe
[F3] (PgUp) vorherige Displayseite [F4] (PgDn) nächste Displayseite

([F3] und [F4] sind beim fx-9860G nicht vorhanden.)

Brüche in Dezimalzahlen umwandeln und umgekehrt

Durch Drücken der Umwandlungstaste [F⟷D] kann ein Bruch in eine Dezimalzahl umgewandelt werden.
Ein weiteres Drücken der Taste wandelt die Dezimalzahl wieder in einen Bruch um.
(Eine Dezimalzahl in einen Bruch zu umzuwandeln, ist mit den neueren Rechnern wesentlich besser geworden. Diese Möglichkeit bietet der CFX-9850GC PLUS nur für einfache Umwandlungen.)

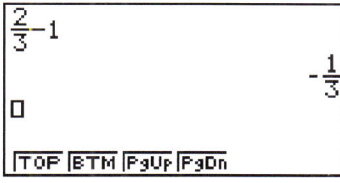

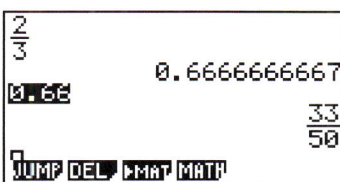

Eingabe von Potenzen

Das Eingeben von Hochzahlen erfolgt mit der Taste für Potenzen ($\boxed{\wedge}$). Im linearen Modus wird es auch dargestellt. Bei der Basis e ($\boxed{\text{SHIFT}}$ $\boxed{\text{ln}}$) wird bereits die Hochzahl erwartet, so dass keine Potenztaste gedrückt werden darf.

(Achtung: Beim CFX-9850GC PLUS wird ^ nicht geschrieben. Wenn man es eingibt, erscheint Syntax-Error. In diesem Fall kehrt man mit $\boxed{\text{AC/ON}}$ wieder ins RUN-Menü zurück.)

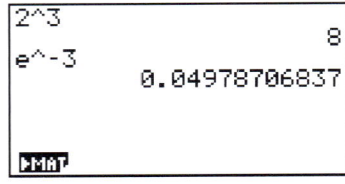

(linearer Eingabemodus)

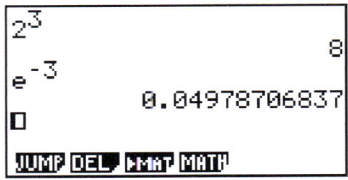

(mathematischer Eingabemodus)

Gradmaß oder Bogenmaß

Bevor man mit trigonometrischen Berechnungen beginnt, muss das Maß eingestellt werden. Bei den allgemeinen Einstellungen $\boxed{\text{SHIFT}}$ $\boxed{\text{MENU}}$ setzt man den Cursor auf Angle. Mit $\boxed{\text{F1}}$ (Deg) lässt sich der GTR auf das Gradmaß umstellen. Im Auslieferungszustand ist das Bogenmaß $\boxed{\text{F2}}$ (Rad) eingestellt. Neugrad $\boxed{\text{F3}}$ (Gra) braucht man nicht.

Hat man versehentlich ein falsches Maß eingestellt, kann man es nach der Rechnung umstellen. Ein weiteres Betätigen der $\boxed{\text{EXE}}$ Taste gibt die neuen Werte aus.

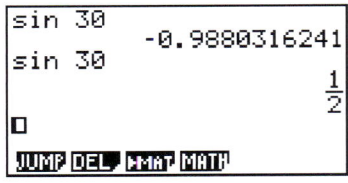

Es wird davon ausgegangen, dass der Leser mit einem herkömmlichen Taschenrechner umgehen kann. Einfache Berechnungen im RUN-MAT-Menü können wie gewohnt ausgeführt werden.
Das Rechnen und Eingeben mit Matrizen wird in Lerneinheit 12 erklärt.

3 Gleichungen und Gleichungssysteme

Gleichungen und Gleichungssysteme sind im EQUA-Menü (A) zu finden. Wenn man dieses Menü aufruft, erscheint die Übersicht.

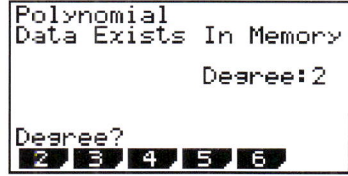

Ganzrationale Gleichungen (Polynomgleichungen)

Mit F2 (POLY) kommt man zu ganzrationalen Gleichungen.
Man wählt den Grad. Bei den älteren Rechnern stehen nur Grad 2 und Grad 3 zur Verfügung. Erst ab dem fx-9860GII kann man in diesem Untermenü bis Grad 6 rechnen.

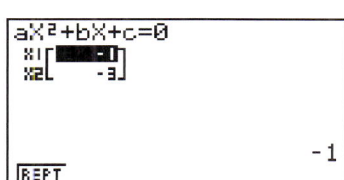

Nach Eingabe der Koeffizienten bestätigt man mit EXE.

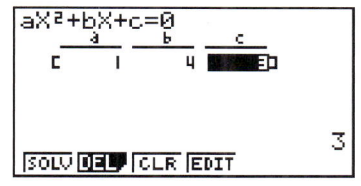
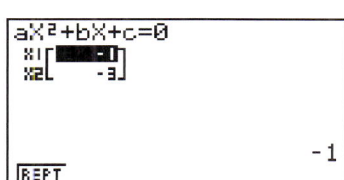

Beim dem CFX-9850GC PLUS werden komplexe Lösungen angezeigt. Ab der 9860er-Serie erscheint bei komplexen Lösungen eine Fehlermeldung.

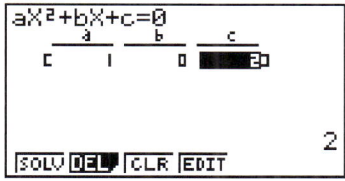

Newton-Verfahren

Das Newtonsche Näherungsverfahren liefert Näherungswerte für Lösungen.
Mit F3 (SOLV) steht dieses Verfahren zur Verfügung.
Bei Eq wird die Gleichung eingegeben.
Wenn die rechte Seite gleich null ist, kann auf deren Eingabe verzichtet werden.
Die Unbekannte wird über die Variablentaste, das Gleichheitszeichen mit SHIFT ⋅ (Dezimalpunkt) eingegeben. Mit EXE bestätigen.
Anschließend wird der Startwert bei X= eingegeben.
Ab der 9860er-Serie kann ein Intervall eingegeben werden. Wenn man dort nichts eingeben möchte, muss die Markierung auf dem Startwert stehen, wenn man die F6 (SOLV)-Taste zur Lösung drückt. Beim CFX-9850GC PLUS gibt es keine Intervalleingabe. Hier wird der Startwert mit EXE bestätigt und die Näherungslösung wird bei X angezeigt.

Mit [F1] (REPT) wird das Verfahren beliebig oft wiederholt. Man kann mit neuen Startwerten bzw. je nach Rechner auch mit anderen Intervallen arbeiten. Wenn man fertig ist, kehrt man mit mehrmaligem Drücken der [EXIT]-Taste zurück.

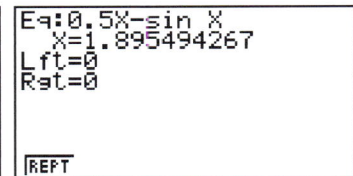

Dabei ist zu beachten, dass verschiedene Startwerte zu verschiedenen Lösungen führen können. Nicht jeder Startwert führt zu einer Nullstelle. Daher sollte man im Graphikfenster die Lösung grob abschätzen und wenn möglich, mit einem Intervall eingrenzen.

Eingeben eines Gleichungssystems

Für die Lösbarkeit eines Gleichungssystem aus n Gleichungen mit n Unbekannten gibt es drei Möglichkeiten: Es ist

- eindeutig lösbar
- mehrfach lösbar
- unlösbar.

Ist das Gleichungssystem eindeutig lösbar, besteht für $n \leq 6$ die Möglichkeit, das System direkt im Equation-Menü mit [F1] (SIML) zu lösen.
Über [F1] bis [F5] wählt man die Anzahl der Unbekannten und legt somit das Format fest.

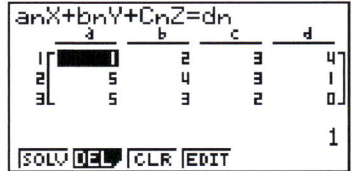

Die Koeffizienten werden eingegeben und jede Eingabe mit [EXE] bestätigt. Wenn man eine Eingabe korrigieren möchte, bewegt man den Cursor an die entsprechende Stelle und überschreibt sie.

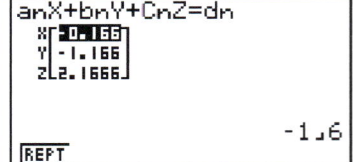

Anhand der Fehlermeldung ist nicht zu unterscheiden, ob jetzt ein mehrdeutig lösbarer oder ein unlösbarer Fall vorliegt.
In Lerneinheit 12 werden in der Matrizenrechnung die Lösungsmöglichkeiten hierfür dargestellt.

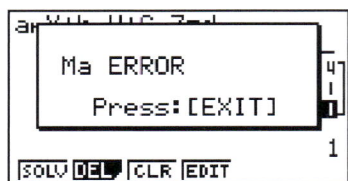

4 Funktionen graphisch und tabellarisch

Für die Eingabe einer Funktionsvorschrift kann man das GRAPH-Menü (5) oder das TABLE-Menü (7) wählen. Die Funktionen stehen immer in beiden Menüs zur Verfügung. Graphen werden im GRAPH-Menü (5) und Wertetabellen im TABLE-Menü (7) dargestellt. Das Wechseln der Menüs ist mit der [MENU]-Taste stets möglich.

Graph einer Funktion

Man gibt die Funktionsvorschrift im GRAPH-Menü (5) ein.
Bei der Eingabe ist das X über die Variablentaste zu schreiben. Sollte anstelle der Y1 bis Y20, Yt , ein r oder ein X erscheinen, stellt man den Funktionstyp über die [F3] (Type) [F1] (Y=) ein.

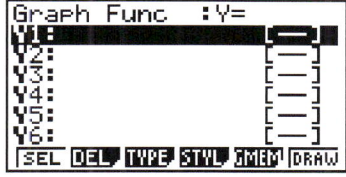

Die Markierung des Gleichheitszeichens bedeutet, dass die Funktion ausgewählt ist. Mit [F6] (DRAW) werden die ausgewählten Graphen gezeichnet.

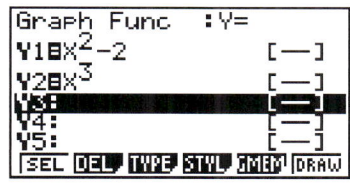
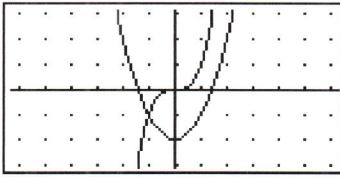

Wenn man die Markierung mit [F1] (SEL) löscht, wird von dieser Funktion kein Graph gezeichnet.

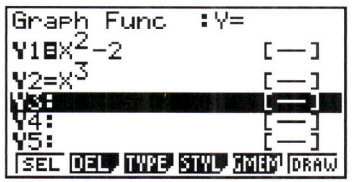
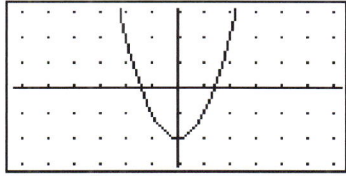

Benötigt man eine Funktion nicht mehr, kann man sie mit [F2] (DEL) löschen. Sicherheitshalber muss das noch mit [F1] (YES) bestätigt werden.

Einstellen des Fensters

Es kann passieren, dass die Funktion richtig eingegeben wurde, aber auf dem Display kein Graph zu erkennen ist. Dann ist die Fenstereinstellung nicht richtig.

INIT (Auslieferungszustand)
Unverzerrte Darstellung
im x-Bereich von −6,3 bis 6,3 und im y-Bereich von −3,1 bis 3,1.
Dabei sind die Einheiten auf beiden Achsen gleich groß. Die Pixeldichte ist auf 0,1 eingestellt und die Achsen werden pro Einheit markiert.

STD

Gute Übersicht, da relativ großer Bereich von −10 bis 10 auf beiden Achsen. Die Einheiten sind aber auf den Achsen unterschiedlich groß.

TRIG

für trigonometrische Funktionen:
Bereich von −3π bis 3π bei der Einstellung RAD
  bzw. von −540 bis 540 bei der Einstellung DEG.
Die y-Werte sind von −1,6 bis 1,6 eingestellt.

Zusätzlich zu den dargestellten Einstellungen ist eine selbst gewählte Einstellung möglich: Über Min und Max wird der sichtbare Bereich eingestellt. Auf den Achsen wird die unter scale eingestellte Markierung angezeigt. Ab der 9860er-Serie kann man auch die Pixelgröße mit dot einstellen. Allerdings stellt das Display nur eine bestimmte Anzahl von Pixel dar.

Mögliche Fehler:
Gibt man für min und max denselben Wert ein, wird ein Bereichsfehler gemeldet. Beim CFX-9850GC PLUS ist dies nur mit MA Error bemerkt.
Vertauscht man min und max, steht der Graph auf dem Kopf.

Hintergrund einstellen

Das Graphikfenster kann mit Punkten unterlegt werden. Dazu geht man zu den allgemeinen Einstellungen mit [SHIFT] [MENU]. Möchte man Punkte, bewegt man die Markierung zu Grid und gibt [F1] (On) ein.

 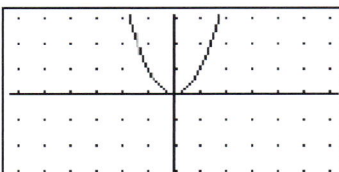

Entsprechend lassen sich die Achsen (Axes) und Achsenbeschriftung (Label) ein- oder ausblenden. Die Koordinaten (Coord) sollte man auf ON lassen, da sonst beim Navigieren nichts angezeigt wird.

Wertetabellen

Die Wertetabellen für diese Funktionen erhält man über das TABLE-Menü (7). Dort werden die bereits eingegebenen Funktionen angezeigt. Man beachte die Markierung des Gleichheitszeichens mit [F1] (SEL), die bei der 9860er-Serie nicht mehr automatisch gesetzt wird.
Startwert, die Schrittweite und der Endwert lassen sich mit [F5] (SET) (CFX-9850GC PLUS: RANG) einstellen.
Mit [F6] (TABL) erhält man die Tabelle.

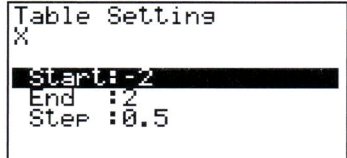 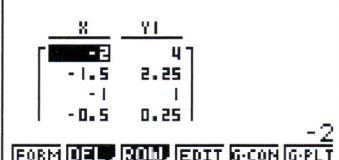

Wenn man für einen bestimmten Wert wie z.B. $\sqrt{2}$ einen Funktionswert möchte, kann man diesen Wert auch direkt in der x-Spalte eingeben.

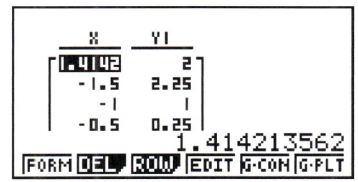

$\sqrt{2}$ wurde direkt eingegeben.

Absolutbetrag einer Funktion

Im GRAPH-Menü kann man mit der Tastenkombination OPTN und anschließend mit
F5 (NUM) F1 (Abs) den Absolutbetrag einfügen. Die Funktion wird danach in Klammern geschrieben.

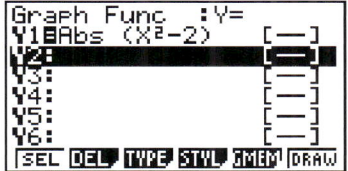 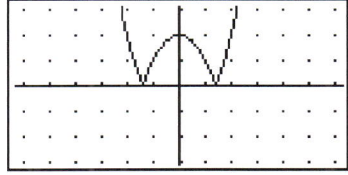

Funktion über einem Intervall

Gibt man nach der Funktion ein Komma und dann ein Intervall ein, so wird deren Graph nur auf dem Intervall gezeichnet.

Funktion eingeben, anschließend mit

, SHIFT + für [, (−) 2 , 2 SHIFT − für]

den Definitionsbereich eingeben.

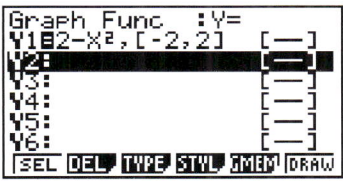 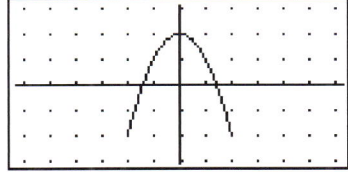

Eingabe von senkrechten Geraden

Mit

F3 (TYPE) F4 (x=)

kann man eine senkrechte Gerade zeichnen. Durch die eingegebene Zahl wird der
Abstand zur y-Achse eingestellt.

 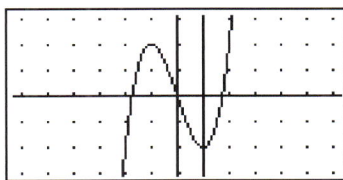

Nach dieser Eingabe sollte man den Typ wieder zurückstellen.

Ausschnitt betrachten

Mit F2 (Zoom) F1 (BOX) kann man einen bestimmten Ausschnitt festlegen.

Hierzu bewegt man den Cursor an die lin-
ke obere Ecke des gewünschten Aus-
schnitts und bestätigt diese Ecke mit EXE.
Anschließend navigiert man zur rechten
unteren Ecke und bestätigt diese ebenfalls
mit EXE.

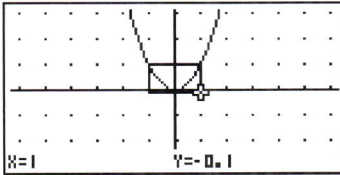 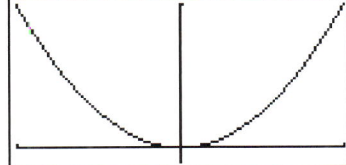

Auf dem Graph navigieren

Die Koordinaten einzelner Punkte auf dem Graphen lassen sich mit F1 (Trace) abrufen.

Man bewegt den Cursor mit den Pfeiltasten. Dann werden die Koordinaten der Punkte angezeigt. Ab der 9860er-Serie kann man hier auch direkt eine Zahl, z.B. $\sqrt{2}$ eingeben.

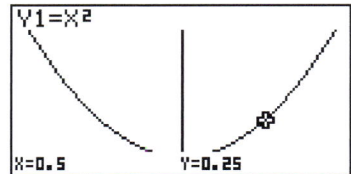

Verschiebung von Graphen

bezüglich der y-Achse:

Mit VARS F1 (GRPH) F1 (Y) und Nummer der Funktion kann man die Funktion aus dem Graphikspeicher aufrufen.

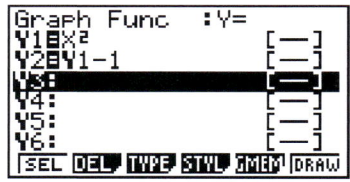
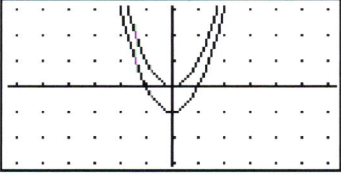

bezüglich der x-Achse:

Durch Eingabe von (x-1) in Klammern wird der Graph um eine Einheit nach rechts verschoben.

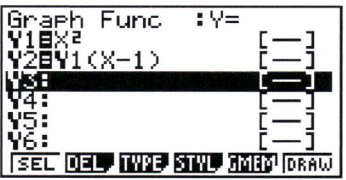
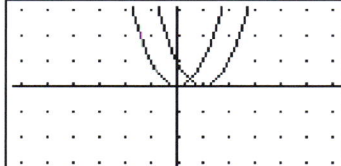

Spiegelung von Graphen

an der x-Achse:

Cursor auf y2 setzen.

(−) VARS F4 (GRPH) F1 (Y) 1

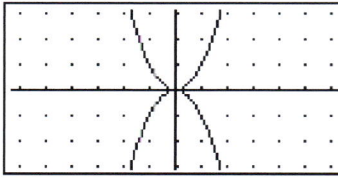

an der y-Achse:

Cursor auf y2 setzen.

VARS F4 (GRPH) F1 (Y) ((−) X,θ,T)

Hier erkennt man die Achsensymmetrie.

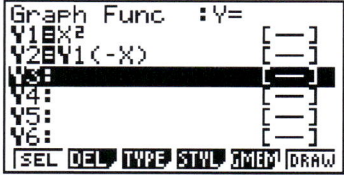
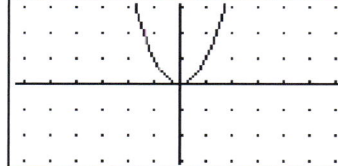

Fenster teilen

Bei den Grundeinstellungen (SHIFT MENU) lässt sich das Fenster so einteilen, dass 2 Graphiken nebeneinander (F1 (G+G)) bzw. eine Graphik und die Wertetabelle nebeneinander (F2 (G to T)) dargestellt wird. Wenn man die Teilung wieder aufheben will, wählt man F3 (Off).

Zwei Graphiken nebeneinander:

F1 (G+G)

Beim geteilten Graphikfenster wird im rechten Teilfenster ein Ausschnitt angezeigt, den man mit Hilfe der Box erstellt hat (siehe oben).

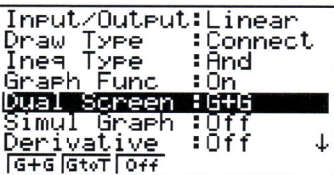
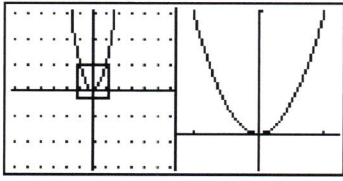

Graphik und Tabelle nebeneinander:
[F2] (G to T)
Nun wird neben dem Graphen eine Wertetabelle angezeigt. Wie oben beschrieben
kann man mit [F1] (Trace) den Cursor auf
dem Graph bewegen und einzelne Werte
mit [EXE] in die Tabelle übernehmen.

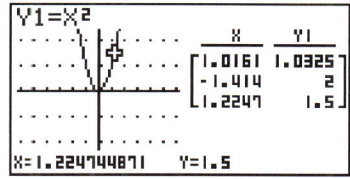

Kurvenscharen

Gibt es bei einer Funktion einen Scharparameter z. B. a, so kann man diesen mit einem Buchstaben ([ALPHA]-Taste, rote
Tastenbelegung) eingeben. Anschließend werden – durch ein Komma getrennt – die Werte festgelegt, die der Scharparameter annehmen soll. Diese werden in aufzählender Form in eine eckige Klammer gesetzt.

Beispiel:

$f(x) = ax - a^2$ für a = −2; −1,5; ...; 2

Funktion:

[ALPHA] [X,θ,T] [X,θ,T] [−] [ALPHA] [X,θ,T] [x²] [,]

Werte für a in eckiger Klammer:

[SHIFT] [+] −2 [,] −1.5 [,] −1 [,] −0.5 [,]
0 [,] 0.5 [,] 1 [,] 1.5 [,] 2 [SHIFT] [−]

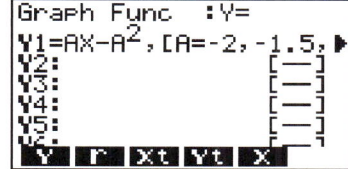

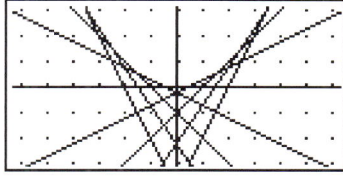

Graphikspeicherdaten in dem RUN-MAT-Menü (1) auswerten

Mit Hilfe der [VARS]-Taste kann man Funktionen aus dem Graphikspeicher aufrufen. Wurde z.B. die Funktion
$f(x) = 2x + 1$ im Graphikspeicher Y1 im Menü 5 eingegeben, steht diese Funktion zur Verarbeitung im RUN-MAT-Menü
(1) zur Verfügung.

Benötigt man den Funktionswert an einer
Stelle, lässt er sich über

[VARS] [F4] (GRPH) [F1] (Y) und die Nummer 1

sowie in Klammer die gesetzte Stelle bestimmen.

(Dies geht erst ab der 9860er-Serie!)

RUN-MAT-Menü (1):

GRAPH-Menü (5):

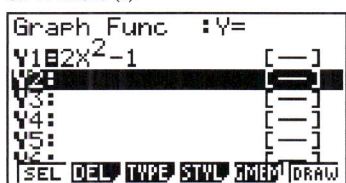

5 Ableitungen graphisch und tabellarisch

Werte der Ableitungen im TABLE- und GRAPH-Menü werden angezeigt, wenn man den GTR entsprechend einstellt. Bei den allgemeinen Einstellungen (SHIFT MENU) bewegt man die Markierung mit den Pfeiltasten auf DERIVATIVE und stellt sie mit F1 auf ON. Diese Einstellung kann aus dem Menü 1, 5 oder 7 erfolgen.

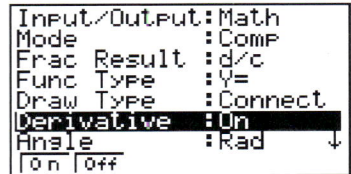

TABLE-Menü (7)

Nach Eingabe der Funktion (hier: $f(x) = x^2$) lässt man eine Wertetabelle anzeigen (siehe S. 10).
Neben den Funktionswerten werden jetzt auch die Ableitungswerte angezeigt.

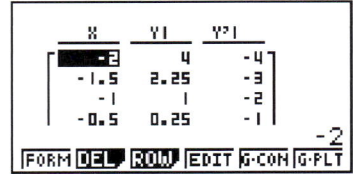

GRAPH-Menü (5)

Bei einer gezeichneten Funktion kann mit F1 (Trace) der Cursor an einen bestimmten Kurvenpunkt gebracht werden. Ab der 9860er-Serie kann dies auch durch direkte Eingabe der gewünschten Stelle erfolgen. Jetzt werden die Koordinaten des Punktes und die Steigung in dem Punkt angezeigt.

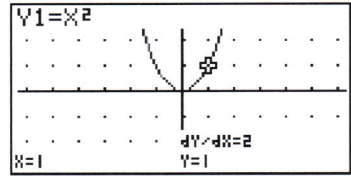

Ableitung einer Funktion zeichnen

Die Ableitung einer Funktion erhält man über OPTN F2 (CALC) F1 (d/dx). Dabei gibt man in Klammer die Funktion ein. Hinter dem Komma steht die Variable X, nach der abgeleitet werden soll.

im linearen Eingabemodus

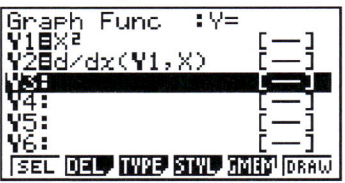

im mathematischen Eingabemodus

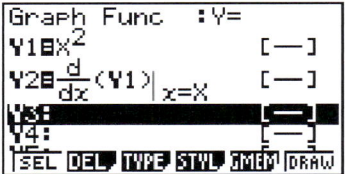

Es ist sinnvoll, die Funktionsvorschrift über die Tastenkombination

VARS F4 (GRPH) F1 (Y)

aus dem Graphikspeicher zu holen. Ebenso kann über

OPTN F4 (CALC) F2 (d^2/dx^2)

die zweite Ableitung gezeichnet werden.

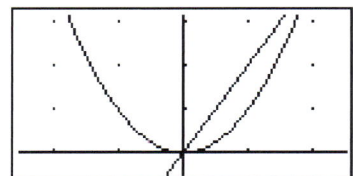

Im RUN-MAT-Menü (1) einzelne Werte bestimmen

Die Steigung einer Funktion an einer bestimmten Stelle kann direkt berechnet werden. Hierzu kann über OPTN F4 F4 (CALC) F2 (d/dx) die erste Ableitung eingefügt werden. Die Funktion wird nun entweder direkt eingegeben oder mit der Tastenkombination VARS F4 (GRPH) F1 (Y) und Nummer der Funktion aus dem Graphikspeicher geholt.

Mathematischer Eingabenmodus

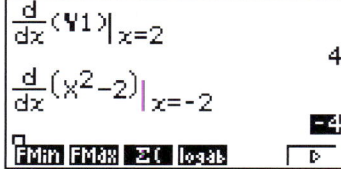

Im linearen Eingabemodus wird – durch ein Komma getrennt – die gewünschte Stelle eingegeben. Im mathematischen Eingabemodus füllt man die Kästchen aus.

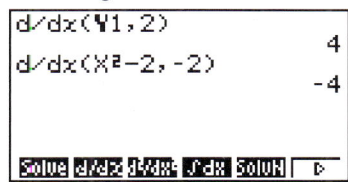

6 Tangente und Normale

Zeigt das Graphikfenster den Graph einer Funktion, kann man mit der Tastenkombination [F4] (Sketch) eine Tangente oder eine Normale an den Graph zeichnen lassen. Ab der 9860er-Serie durch direkte Eingabe der gewünschte Stelle, beim den 9850-Rechnern muss man den Cursor mit ⏵ oder ⏴ auf den gewünschten Kurvenpunkt gesetzt werden. Im rechten Beispiel wird der Berührpunkt bei x=1 festgelegt, mit [EXE] bestätigen. Für die Zeichnung erneut mit [EXE] bestätigen.

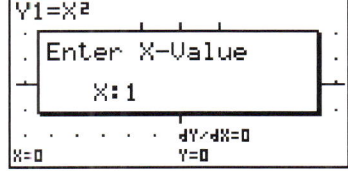

Die Gleichung der Tangente oder der Normale wird nur angezeigt, wenn der GTR über [SHIFT] [MENU] auf „DERIVATIV ON" eingestellt wurde.

Tangente

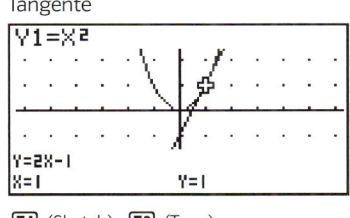

[F4] (Sketch) [F2] (Tang)

Normale

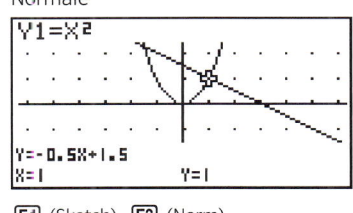

[F4] (Sketch) [F3] (Norm)

Es können bei allen Geräten weitere Tangenten oder Normalen eingezeichnet werden.

Mit [F4] (Sketch) [F1] (CIS = Clear Screen) können alle Tangenten wieder gelöscht werden.

7 Funktionsuntersuchung

Nachdem im GRAPH-Menü (5) mit F6 ein Graph gezeichnet ist, kann man mit der F5-Taste (G-Solv) mehrere Untermenüs für die Funktionsuntersuchung öffnen.
In dieser Lerneinheit wird davon ausgegangen, dass diese Untermenüs geöffnet sind. Wenn ein Wert ausgegeben wurde, muss man die Untermenüs erneut öffnen.

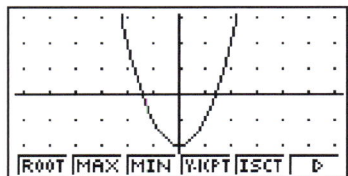

Schnittpunkt mit der y-Achse

F4 (Y-ICPT) eingeben. Der Cursor zeigt den Schnittpunkt mit der y-Achse.

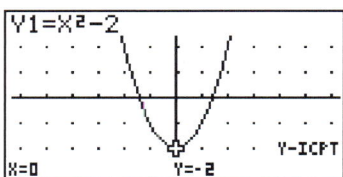

Schnittpunkte mit der x-Achse (Nullstellenbestimmung)

Die Bestimmung der Nullstellen einer Funktion kann auf mehrere Arten erfolgen.

GRAPH-Menü (5)

Der Graph der Funktion $f(x) = x^2 - 2$ wurde gezeichnet, mit F5 (G-Solv) sind die Untermenüs geöffnet. Mit F1 (ROOT) wird eine Nullstelle im Fenster mit ihren Koordinaten angezeigt. Bewegt man den Cursor mit der Pfeiltaste ▶, wird – wenn im Fenster vorhanden – eine weitere angezeigt.
Beachte:
Es werden nur Nullstellen des eingestellten Fensters ausgegeben!

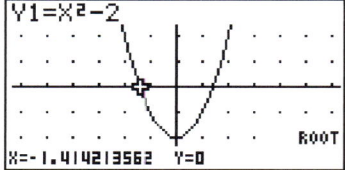

RUN-MAT-Menü (1)

Über die Tastenkombination

OPTN F4 (CALC) F1 (SOLV)

kommt man zur Funktion Solve. Die Funktionsvorschrift kann direkt eingegeben werden, ebenso ein Startwert, durch ▸ getrennt. Anschließend kann man zwei Intervallgrenzen, ebenfalls durch ▸ getrennt, eingeben. Die Intervallgrenzen sind aber nicht zwingend notwendig. Klammer schließen, mit EXE bestätigen.
Eine bereits im GRAPH-Menü (5) eingegebene Funktion
(z.B. $f(x) = 0.5x - \sin(x)$) kann aus dem Graphikspeicher über die Tastenkombination

VARS, F4 (GRPH), F1 (Y) und die Nummer der Funktion

aufgerufen werden.

Die **SolveN-Funktion** steht nur im fx-9860GII zur Verfügung (F5 (SolvN)). Mit ihr werden ohne Eingabe eines Startwerts mehrere Nullstellen angezeigt. Es wird aber ausdrücklich darauf hingewiesen, dass es möglicherweise weitere Lösungen gibt.

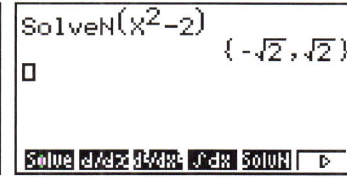

Extrempunkte

GRAPH-Menü (5)

Wie oben öffnet man durch F5 (G-Solv) die Untermenüs zur Auswertung.

Mit F2 (MAX) besteht die Möglichkeit, die Hochpunkte des Graphen im Sichtfenster zu finden. Entsprechend werden mit F3 (MIN) die Tiefpunkte des Graphen im Sichtfenster gefunden.

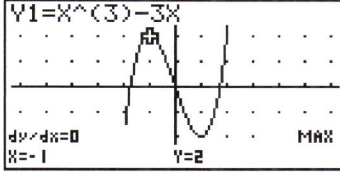
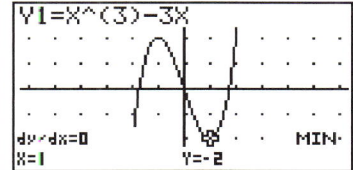

RUN-MAT-Menü (1)

Bei OPTN F4 (CALC) gibt es ein zusätzliches Untermenü, das den Hochpunkt oder den Tiefpunkt bestimmt.
Beispiel Hochpunkt:
OPTN F4 (CALC) F6 (▷) F1 (FMax) VARS F4 (GRPH) F1 (Y)
und Nummer aus dem Funktionsspeicher. Alternativ kann die Funktion auch direkt eingegeben werden. Anschließend werden zwei Intervallgrenzen, durch , getrennt, eingegeben.

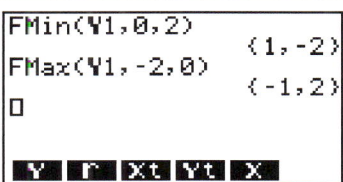

Wendepunkte

Wendestellen lassen sich über die Extremstellen der ersten Ableitung bestimmen.

Man lässt die 1. Ableitung zeichnen (siehe dazu Lerneinheit 5, S. 14). Mit F1 (SEL) kann die Markierung von der Funktion entfernt werden, so dass nur die Ableitung gezeichnet wird.

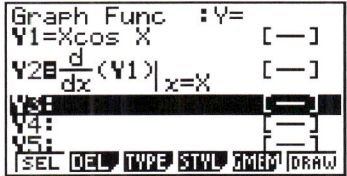

Mit F5 (G-Solv) und F2 (MAX) oder F3 (MIN) wird nun die Extremstelle der Ableitung ausgegeben, das ist bezogen auf die Funktion die Wendestelle und die Steigung der Wendetangente.
Wurde auch die Funktion gezeichnet, setzt man mit dem Cursor die angezeigte Funktion auf die 2. Funktion (in diesem Beispiel die Ableitung) und muss dies nochmal mit EXE bestätigen.

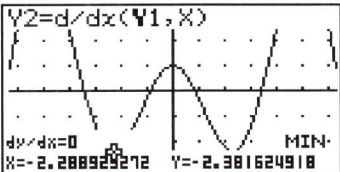

y-Wert des Wendepunkts

• im TABLE-Menü, durch Eingabe der X-Koordinate holen.

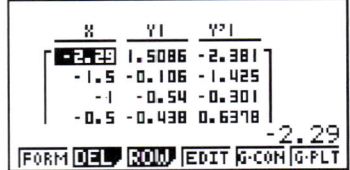

• ab der 9860er-Serie auch im RUN-MAT-Menü (1) bestimmen. Man kann den Wert über die Variable X abrufen.

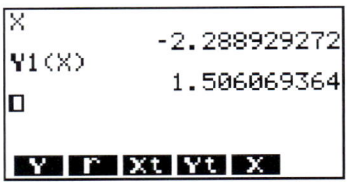

• auch im GRAPH-Menü durch [F5] (G-Solv) [F6] (▷) [F1] (Y-CAL) berechnen. In diesem Fall muss auch der Graph der Funktion gezeichnet sein. Man muss die Funktion auswählen und mit [EXE] bestätigen. Wenn man für x die bereits gefundene Wendestelle eingibt, ist der Cursor anschließend auf dem Wendepunkt und zeigt dessen Koordinaten an.

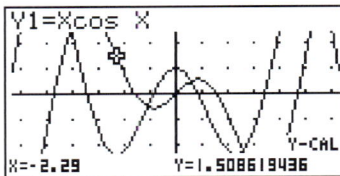

Schnittpunkte zweier Graphen

Entsprechend lassen sich auch die Schnittpunkte zweier Graphen auf verschiedene Arten bestimmen.

GRAPH-Menü (5)

Zum Beispiel sind die Funktionen $f(x) = \sin x$ und $g(x) = 0,5 x$ im GRAPH-Menü (5) eingegeben. Mit [F5] (G-Solv) werden die Funktionstasten für die Untermenüs geöffnet.

Anschließend kann man mit [F5] (ISCT) die Schnittpunkte nacheinander abrufen. Der Cursor lässt sich wieder über die Pfeile weiterbewegen. Auch hier ist zu beachten, dass es weitere Schnittpunkte außerhalb des Sichtfensters geben kann.

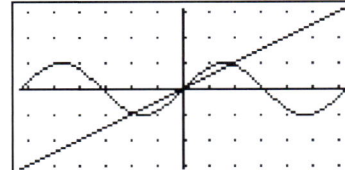
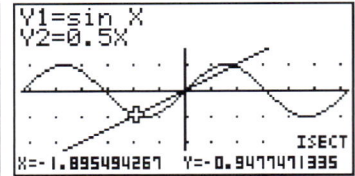

EQUA-Menü (A)

Im EQUA-Menü (A) über die [F3] (SOLV)-Taste eingeben. Wie bei den Nullstellen beschrieben, wird die Gleichung eingegeben. Mit [F1] (REPT) kann ein neuer Startwert für eventuell weitere Schnittstellen eingegeben werden.

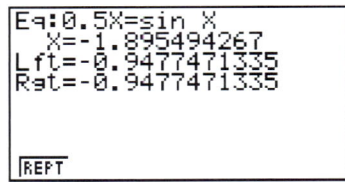

RUN-MAT-Menü (1)

Es besteht die Möglichkeit, durch Umstellen der Gleichung mit den Funktionen *Solve* (oder *SolveN*) die Nullstellen zu bestimmen (siehe dazu Schnittstellen mit der x-Achse in dieser Lerneinheit).

8 Funktionsbestimmung

Funktionsbestimmung aus Bedingungen

Von einer Parabel dritter Ordnung weiß man, dass ein Hochpunkt in H(1|3) vorliegt und an der Wendestelle x = 2 die Steigung −1,5 ist. Damit lässt sich die Funktionsvorschrift bestimmen.
Für die Parabelgleichung setzt man $f(x) = ax^3 + bx^2 + cx + d$
Zunächst stellt man aus diesen vier Eigenschaften das Gleichungssystem auf. Dann geht man wie in Lerneinheit 3 beschrieben in das EQUA-Menü (A) und wählt mit [F1] (SIML) ein lineares Gleichungssystem. Anschließend wird der Grad 4 mit [F3] (4) festgelegt. Nun trägt man die Koeffizienten ein.

H(1|3): $f(1) = 3$
$a + b + c + d = 3$

Hochpunkt: $f'(1) = 0$
$3a + 2b + c = 0$

Wendestelle x = 2: $f''(2) = 0$
$12a + 2b = 0$

Steigung dort −1,5: $f'(2) = -1,5$
$12a + 4b + c = -1,5$

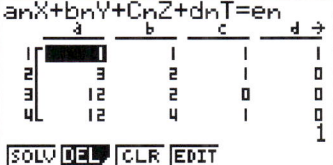
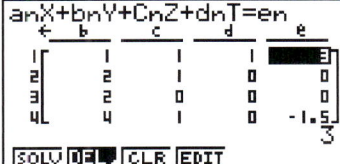

Mit [F1] (SOLV) wird das Gleichungssystem gelöst. Die Gleichung der Parabel ist also $f(x) = 0,5x^3 - 3x^2 + 4,5x + 1$.

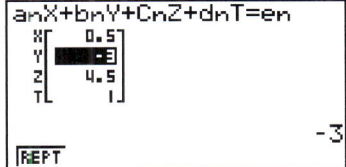

Funktionsbestimmung durch Regression

Sind bereits Wertetabellen gegeben, kann man mit der Regression eine Funktion bestimmen.
Man gibt die Wertetabellen im STAT-Menü (2) ein.

Hier öffnen sich 26 Listen (beim CFX-9850GC PLUS nur sechs). Im Auslieferungszustand steht der Cursor bereits in der ersten Zelle in Liste 1. Nach und nach werden die x-Werte eingegeben und mit [EXE] bestätigt. Anschließend setzt man den Cursor mit [▶] in Liste 2. Er steht dann bereits in der ersten Zelle. Man gibt die zugehörigen y-Werte ein und bestätigt jede Eingabe mit [EXE]. Für die weitere Handhabung des STAT-Menüs wird in Lerneinheit 11, S. 25ff verwiesen.

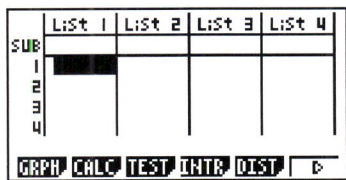

Ab der 9860er-Serie sind Zellen für Überschriften vorhanden. Dort können den Listen über die [ALPHA]-Taste Namen gegeben werden. Für weitere Listenfunktionen wird in Lerneinheit 11 verwiesen.

In Liste 1 sind nun die x-Werte und in Liste 2 die y-Werte eingegeben. Mit [F1] (GRPH) [F1] (GPH1) kann man die Punkte graphisch veranschaulichen. Sollte ein anderes Bild erscheinen, muss man mit

[F6] (SET) [▼] [F1] (Scat) den „Graph Type"

auf Scatter umstellen; mit [EXE] bestätigen.

Die Regressionen findet man unter F1 (CALC). (Beim CFX-9850GC PLUS sind sie bereits geöffnet.) Bei diesem Beispiel wäre eine exponentielle Regression sinnvoll. Man findet sie unter F6 (▷) F3 (EXP). Mit F1 (ae^bx) entscheidet man sich für die Basis e. Alternativ wäre die Basis b möglich, die sich aber mit e^b leicht berechnen lässt.

Es werden die folgenden Größen ausgegeben:

a, b   zu bestimmende Parameter

r   Korrelationskoeffizient

r^2 Bestimmtheitsmaß (Güte der Abweichung)

MSe   Mittlerer quadratischer Restfehler

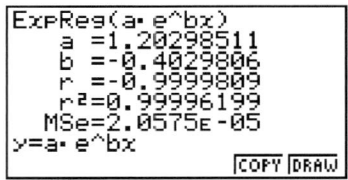

Mit F5 (COPY) wird die Funktion im Graphikspeicher abgelegt.

Mit F6 (DRAW) wird die Regression eingezeichnet.

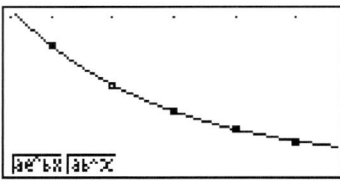

So lassen sich mit Hilfe einer vorgegebenen Wertetabelle Funktionen verschiedenen Typs modellieren:

F3 : Lineare Regression

F4 : Quadratische Regression

F5 : Regression mit ganzrationaler Funktion 3. Grades

F6 (▷) F1 : Regression mit ganzrationaler Funktion 4. Grades

       F2 : Logarithmische Regression

       F3 : Exponentielle Regression

       F4 : Regression mit einer Potenzfunktion

       F5 : Regression mit einer Sinusfunktion

       F6 (▷) F1 : Regression mit einer logistischen Wachstumsfunktion

9 Extremwertaufgaben

Beispiel 1: Ordinatendifferenz

Gegeben sind die Funktionen $f(x) = -x^2 + 2x + 4$ und $g(x) = x^2$.
Die Graphen der beiden Funktionen schneiden sich bei $x = -2$ und $x = 1$.
Es soll untersucht werden, an welcher Stelle u mit $-2 \leq u \leq 1$ die beiden Graphen den größten Ordinatenabstand haben.
Zuerst werden die Funktionen
Y1 = f(x) und Y2 = g(x)
eingegeben. Mit

[VARS], [F4] (GRPH) [F1] (Y) [1] [−] [F1] (Y) [2]
[,] [SHIFT] [+] für [, [(−)] [1] [,] [2] [SHIFT] [−] für]

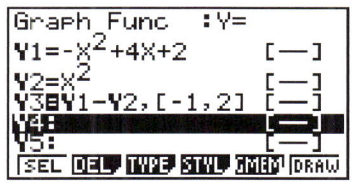

gibt man Y3 so ein, dass nur der definierte Bereich gezeichnet wird.
Jetzt ist die Extremfunktion nur im gewünschten Bereich zu sehen.
Das Maximum wird wie üblich mit

[F5] (G-Solv) [F2] (Max)

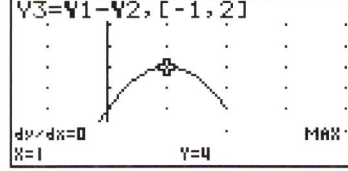

angezeigt. Randwerte können nun direkt beurteilt werden, ob sie kleiner oder größer sind als der relative Extremwert. Ist die Situation unklar, kann man sich mit

[F5] (G-Solv) [F6] (▷) und [F1] (Y-Cal)

zum jeweiligen Rand den y-Wert ausgeben lassen.

Beispiel 2: Flächeninhalt eines Dreiecks

K ist der Graph der Funktion $f(x) = x^3 - 3x - 2$, $x \in \mathbb{R}$.
Für jedes $u \in \mathbb{R}$ mit $-1 \leq u \leq 2$ schneidet die Gerade x = u die x-Achse in Q und den Graphen K im Punkt P. Welchen maximalen Flächeninhalt kann das Dreieck NPQ mit N($-1|0$) haben?
Die Zielfunktion, die optimiert werden soll, ist

$$A(u) = -\frac{1}{2}(u - 1) f(u) \quad \text{für } u \in [-1; 2].$$

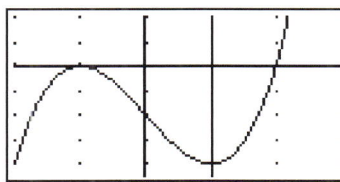

Eingabe der Zielfunktion:

[1] [a⅟b] [2] [(] [X,θ,T] [+] [1] [)] [VARS] [F4] (GRPH) [F1] (Y) [1] ,
[,] [SHIFT] [+] für [, [(−)] [1] [,] [2] [SHIFT] [−] für];

mit [EXE] bestätigen.

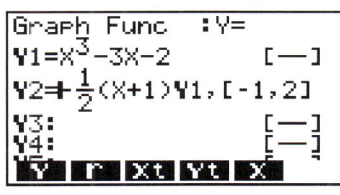

Man beachte, dass hier nur Y2 markiert ist.
Mit [F6] oder [EXE] den Graphen zeichnen lassen.
Mit [F5] (G-Solv) [F2] (Max) das Maximum aufrufen.
Es handelt sich hier um ein absolutes Maximum.

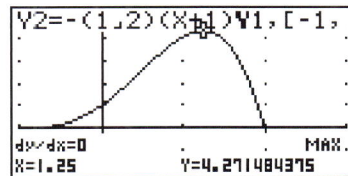

10 Integralrechnung

RUN-MAT-Menü (1)

In diesem Menü findet man das Integral mit der Tastenkombination

[OPTN] [F4] (GRPH) [F4] (∫).

Anschließend werden Funktion und Grenzen eingegeben,
im linearen Eingabemodus durch [,] getrennt.
Im mathematischen Eingabemodus in die dafür vorgesehenen Kästchen:
Funktion eingeben,
(▲) obere Grenze und (▼) untere Grenze
(Grenzen oder Funktion korrigieren: (◄) mehrmals).
Man kann die Funktion direkt eingeben oder mit der Tastenkombination

[VARS] [F4] (GRPH) [F1] (Y) und Nummer der Funktion

aus dem Graphikspeicher holen; mit [EXE] bestätigen.

Linearer Eingabemodus

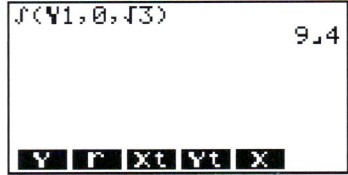

Mathematischer Eingabemodus

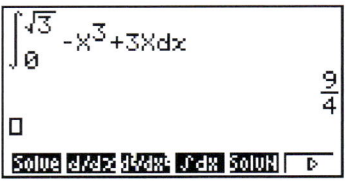

GRAPH-Menü (5)

Wenn der Graph von der Funktion (hier: f(x) = −x³ + 3x) gezeichnet wurde, öffnet man mit [F5] (G-Solv) die Untermenüs. Mit

[F6] (▷) [F3] (∫)

gelangt man zum Integral. Ab der 9860er-Serie gibt man die Grenzen direkt ein und bestätigt sie mit [EXE]. Bei der 9850er-Serie muss man navigieren. Das berechnete Flächenstück wird markiert und der Wert wird angezeigt.

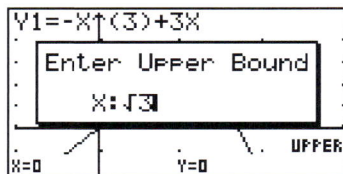
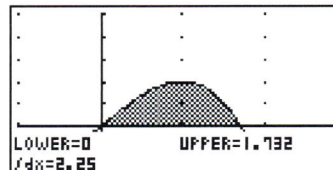

Fläche unter der x-Achse

Wenn Flächen unter der x-Achse liegen, muss mit dem Betrag gerechnet werden. Gibt man die Betragsfunktion ein, so erhält man den gesamten Flächeninhalt, den der Graph mit der x-Achse einschließt, nicht wie oben die Flächenbilanz.
Eingabe:

[OPTN] [F5] (NUM) [F1] (Abs)

Dann gibt man die Funktion entweder direkt ein oder holt sie mit

[VARS] [F1] (GRPH) [F1] (Y) und Nummer aus dem Graphikspeicher.

Mit

[F5] (G-Solv) [F6] (▷) [F3] (∫)

bestimmt man das Integral. Ab der 9860er-Serie werden die Grenzen von −√3 bis √3 direkt eingegeben, damit sie genau sind. Für die 9850er-Rechner ist das RUN Menü vorzuziehen. Dort findet man den Betrag mit

[OPTN] [F6] (▷) [F4] (NUM) [F1] (Abs).

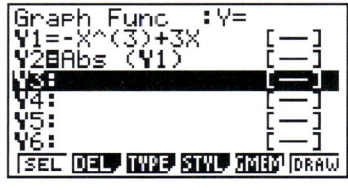
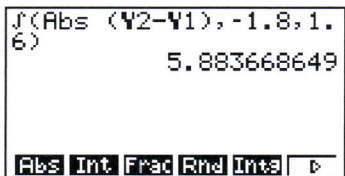

Fläche zwischen zwei Graphen

Im Graphik-Menü sind die beiden Funktionen

$f(x) = x^3 - 3x$ und $g(x) = \frac{1}{2}x^2 - 2$ auf Y1 und Y2 abgespeichert.

Ihre Graphen begrenzen zwei Flächenstücke. Mit

[F5] (G-Solv) [F5] (ISCT)

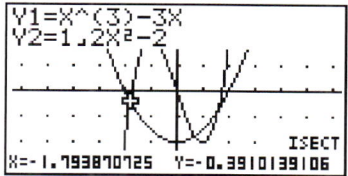

findet man wie in Lerneinheit 7 beschrieben drei Schnittpunkte:

$x_1 \approx -1{,}8$; $x_2 \approx 0{,}7$ und $x_3 \approx 1{,}6$.
Berechnung der Flächenstücke im RUN-MAT-Menü (1):

[OPTN] [F4] (CALC) [F4] (∫).

Berechnung der beiden Teilflächen:

[VARS] [F4] (GRPH) [F1] (Y) [2] [−] [F1] [1] [,] 0.7 [,] 1.6,

mit [EXE] bestätigen und

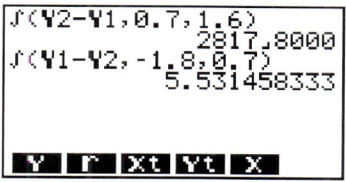

[VARS] [F4] (GRPH) [F1] (Y) [1] [−] [F1] [2] [,] −1,8 [,] 0,7;

mit [EXE] bestätigen.

Gesamtfläche:

Man kann auch beide Integrale ohne Teilergebnisse addieren. Dabei ist darauf zu achten, dass beim ersten Integral die Klammer geschlossen werden muss, da sonst das 2. Integral zur Grenze dazugerechnet wird.

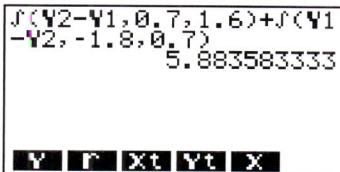

Berechnung mit dem Absolutbetrag

Die Fläche wäre einfacher berechnet worden, hätte man

$$\int_{-1,8}^{1,6} |f(x) - g(x)| \, dx$$

eingegeben. Dieses Vorgehen ist bei der 9850er-Serie nicht sinnvoll. Es dauert zu lange. Die stückweise Berechnung der Flächenstücke geht deutlich schneller. Mit den neueren Rechnern stellt das aber kein Problem mehr dar.

Mathematischer Eingabemodus

Mit der Tastenkombination

[OPTN] [F6] (▷) [F4] (NUM) [F1] (Abs)

wird der Betrag eingegeben. Beim linearen Eingabemodus muss die Klammer nach Eingabe der Funktion geschlossen werden.

Linearer Eingabemodus

Die Integralfunktion

Beim Rechner fx-9860GII steht eine Integralfunktion zur Verfügung. Im GRAPH-Menü kann man den Graph einer Stammfunktion zeichnen lassen. Ferner kann die Grenze für einen vorgegebenen Flächeninhalt bestimmt werden.

Im GRAPH-Menü (5) ist eine Funktion auf Y1 eingegeben. Nun kann man mit der Tastenkombination

OPTN F2 F3 (∫)

die Integralfunktion wählen. Für eine der Grenzen setzt man X, für die andere eine feste Unter- bzw. Obergrenze. Mit EXE bestätigen, mit F6 zeichnen.

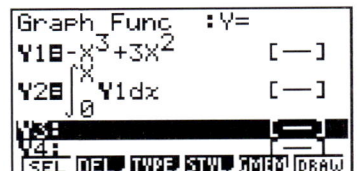
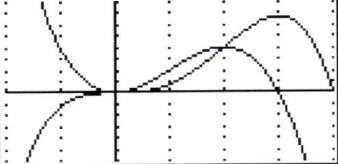

(mathematischer Eingabemodus)

Nun wird eine Stammfunktion gezeichnet.

Will man eine Grenze so finden, dass die Fläche unter dem Graphen von f z.B. genau fünf Flächeneinheiten beträgt, kann man das nun mit folgender Tastenkombination abrufen:

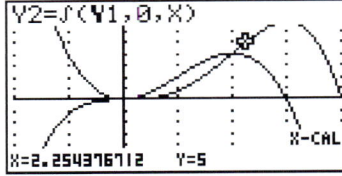

F5 (G-Solv) F6 (▷) F2 (X-Ca) ▼ (auf Y2 setzen) und mit EXE bestätigen, 5 eingeben und nochmals mit EXE bestätigen.

11 Stochastik

Statistik

Eingeben von Zahlenreihen

Man wählt das STAT-Menü(2). Hier öffnen sich mehrere Listen, insgesamt stehen 26 Listen zur Verfügung. (Beim alten Rechner CFX-9850GC PLUS nur sechs, hier ist auch keine Überschrift vorhanden.) Der Cursor befindet sich in der ersten Zelle der ersten Reihe. Jetzt kann man Zahl für Zahl eingeben und jedes Mal mit EXE bestätigen.

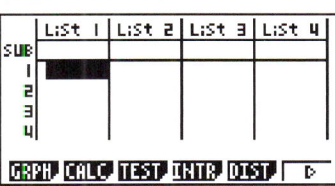

Nachträgliches Einfügen oder Löschen eines Wertes

Hat man einen Wert vergessen, kann man diesen noch einfügen. Dazu setzt man den Cursor auf die Stelle über der die Zahl eingefügt werden soll. Mit der Tastenkombination F6 (▷) F5 (INS) wird eine Zelle mit 0 eingefügt. Nun wird die Null mit der richtigen Zahl überschrieben. Mit F6 (▷) F3 (DEL) kann eine Zelle gelöscht werden.

Löschen einer Liste

Listen bleiben auch nach Abschalten des Rechners gespeichert, so dass nicht mehr benötigte Werte gelöscht werden müssen.

Zum Löschen einer Liste setzt man den Cursor auf die Listennummer. Mit F6 (▷) und F4 (DEL A) lässt sich die ganze Liste löschen. Dies muss sicherheitshalber noch mit F1 (Yes) bestätigt werden.

Erzeugung einer Liste

Wenn man eine Liste erzeugt, muss die Markierung auf der Listennummer stehen, die erzeugt werden soll.

a) Mit OPTN F1 (LIST) F5 (Seq) kann man eine Sequenz von Zahlen mit folgender Eingabe erzeugen:

seq(Formel, Variable, Startwert, Endwert, Schrittweite).

b) Mit OPTN F1 (LIST) F5 (list) und Nummer der Liste kann man mit den Werten aus Liste 1 weitere Listen berechnen.

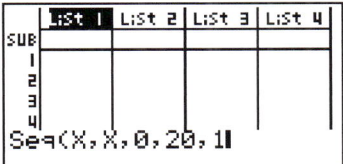

Beschreibende Statistik mit einer Variablen

In einem Monat wurden die Temperaturen täglich gemessen und aufgeschrieben. Man übertragt diese Daten in die Liste 1.

Boxplotdiagramm

Um ein Boxplot Diagramm zu erstellen, wählt man die Tastenkombination

[F1] (GRPH), [F6] (SET).

Dort wählt man für den Graph Type

[F6] (▷), [F2] (Box).

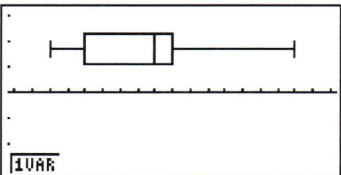

Mit [EXE] bestätigt man die Eingaben und wählt über [F4] (SEL) den Graphen aus und lässt ihn mit [F6] (DRAW) zeichnen. Alternativ kann man auch direkt den Graphen über [F1] bis [F3] auswählen.

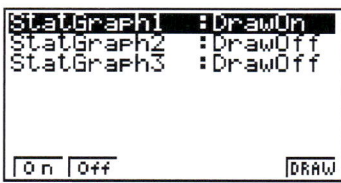

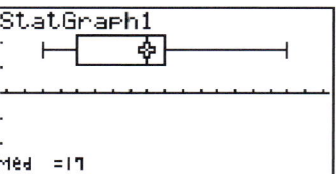

Mit [SHIFT] [F1] (Trace) kann man die 5 Kenngrößen Minimum, 1. Quartil, Median, 3. Quartil und Maximum abfragen.

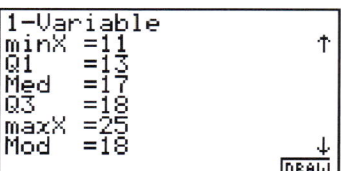

Statistische Kenngrößen

Nach Eingabe der Daten kann man über [F2] (CALC) [F1] (1-Var) die unten beschriebenen statistischen Kenngrößen abrufen. Vom Boxplot-Diagramm kommt man mit [F1] (1-Var) auch direkt dorthin.

$\bar{x}$ — Mittelwert
$x\sigma_n$ — Standardabweichung
$\sum x^2$ — Summe der Quadrate
minX — Minimalwert und Maximalwert
maxX — zur Berechnung der Spannweite
Q1 und Q3 — 1. und 3. Quartil
med — Median (2. Quartil)
mod — Modus (häufigster Wert)

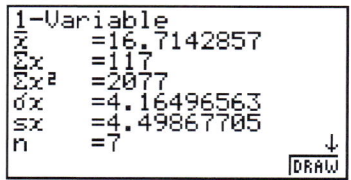

Beschreibende Statistik mit zwei Variablen

Man möchte einen Klassenspiegel mit den Noten 1 bis 6 erstellen. Dazu gibt man die Noten in Liste 1 und die Anzahl der Schüler mit dieser Note in Liste 2 ein.

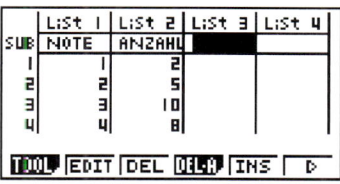

Darstellung als Histogramm

F1 (GRPH) F6 (SET)
Graph Type: F6 (▷) F1 (Hist)
Man stellt die Weite ein.

Mit SHIFT F1 (Trace) bewegt man den Cursor auf den Säulen. Die Häufigkeiten werden angezeigt.

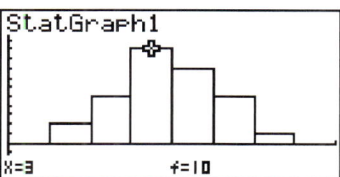

Regression

Will man einen Zusammenhang zwischen zwei Größen wie z.B. Körpergröße und Gewicht beschreiben, kann das über eine Regression erfolgen. Hierfür wird auf die Regression verwiesen, die in Lerneinheit 8 (Seite 20) beschrieben wurde.

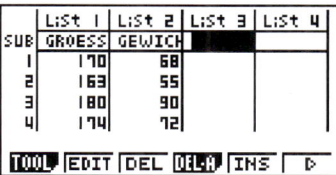 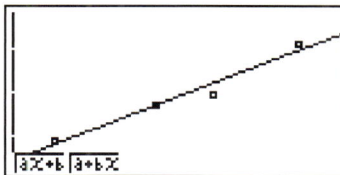

Kombinatorik

Im RUN-MAT-Menü (1) kann man mit [OPTN] [F6] (▷) [F3] (PROB) Untermenüs öffnen, welche die Formeln für Permutationen und Ziehen mit einem Griff enthalten (PROB - probability (engl.) = Wahrscheinlichkeit).

Permutation

Wenn man drei verschieden farbige Kugeln hat, gibt es $3! = 3 \cdot 2 \cdot 1$ viele Möglichkeiten der Anordnung. x! ist die Fakultätsfunktion.
Für jede natürliche Zahl $x \leq 69$ wird dieses Produkt mit

[OPTN] [F6] (▷) [F3] (PROB). [F1] (x)

ausgegeben. Ab 70! wird die Zahl für den GTR zu groß.

Geordnetes Ziehen ohne Zurücklegen

Wenn man aus einer Urne mit n Kugeln k-mal ohne Zurücklegen zieht, gibt es

$$\frac{n!}{(n-k)!}$$

viele Möglichkeiten. Die Formel für diesen Wert findet man unter
[F2] (nPr), wenn man zuvor die oben genannte Tastenkombination eingegeben hat. Zuerst ist das n, anschließend die Formel nPr und danach das k einzugeben. Mit der [F1] (n!) Taste kann man auch die Formel direkt eingeben.

Ungeordnetes Ziehen ohne Zurücklegen

Zieht man k Kugeln aus einer Urne ohne Zurücklegen, gibt es

$$\binom{n}{k} = \frac{n!}{(n-k)!k!}$$

viele Möglichkeiten. Diese Formel ist direkt neben der obigen zu finden.
Wie oben zuerst n, dann [F3] (nCr) und danach den Wert für k eingeben.

Formel von Bernoulli

Die Formel für die Binomialverteilung ist im STAT-Menü unter [F5] (Dist)
[F5] (BINM) zu finden (Dist – Distribution (engl.) – Verteilung).
Wird eine Wahrscheinlichkeit einer Zufallsvariablen X bestimmt (wie in Beispiel 1
und 2), wird Data mit [F2] auf Variable gestellt. Wird eine Wahrscheinlichkeitsver-
teilung berechnet, müssen die Werte der Zufallsvariablen vorab in einer Liste hin-
terlegt werden. In diesem Fall wird Data mit [F1] auf List gestellt.

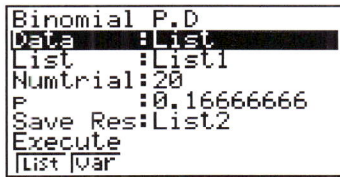

Einzelwahrscheinlichkeiten

Beispiel 1:

Die Wahrscheinlichkeit, bei 20-maligen Würfeln mit einem idealen Würfel genau 5-mal eine 6 zu erhalten, ist

$$P(X = 5) = \binom{20}{5}\left(\frac{1}{6}\right)^5\left(\frac{5}{6}\right)^{15}.$$

Die Dateneingabe hierfür erfolgt über [F5] (DIST) [F5] (BINM) und [F1] (Bpd).

Data wird über [F2] auf Variable gestellt.
x ist die Zahl der günstigen Versuche,
Numtrial die Zahl der möglichen Versuche,
p die Wahrscheinlichkeit für einen Versuch.
Möchte man das Ergebnis speichern, legt
man bei **Save Res** mit [F2] (LIST) eine bisher
noch freie Liste fest.
Alles mit [EXE] bestätigen.

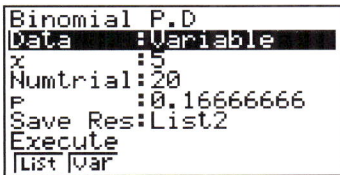

Summenwahrscheinlichkeit

Beispiel 2:

Die Wahrscheinlichkeit, bei 20-maligen Würfeln mit einem idealen Würfel höchstens 4-mal eine 6 zu erhalten, ist

$$P(X \leq 4) = \sum_{i=0}^{4} \binom{20}{i}\left(\frac{1}{6}\right)^i\left(\frac{5}{6}\right)^{20-i}.$$

Mit [F5] (DIST) [F5] (BINM) und [F2] (Bcd) wird der Assistent zur Berechnung geöffnet.

Wie oben werden die Werte eingegeben,
ausgegeben wird jetzt die Summenwahr-
scheinlichkeit.

Binomialverteilung

Beispiel 3:
Wie groß ist die Wahrscheinlchkeit, bei 20-maligen Würfeln X mal eine 6 zu bekommen.

Nun ist das Erzeugen einer Liste für die Größe X von 0 bis 20 eine Hilfe:

(seq(x,x,0,20,1))

(Statistik, Erzeugen von Listen. S. 25).

Die Eingabe der Daten erfolgt wieder wie oben mit

[F5] (DIST) [F5] (BINM) und [F1] (Bpd).

Nun setzt man aber Data mit [F2] auf List. Bei List muss eingegeben werden, in welcher Liste die erzeugte Sequenz steht. Das Ergebnis soll in List 2 abgespeichert werden. Die anderen Daten werden wie oben eingeben und mit [EXE] bestätigt.

Nun erhält man die Binomialverteilung als eine Spalte, die vom Rechner automatisch durchnummeriert wird und mit 1 beginnt. Kehrt man mit zweimaligem Drücken von [EXIT] zu den Listen zurück, stehen in List 2 die passenden Werte richtig zugeordnet.

Summenverteilung

Entsprechend lässt sich auch die Summenverteilung erzeugen.
Die Eingabe der Daten erfolgt wieder wie oben mit

[F5] (DIST) [F5] (BINM) und [F2] (Bcd).

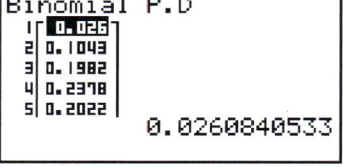

Hinweis für den Rechner fx-9860GII

Im RUN-MAT-Menü (1) steht auch die Formel von Bernoulli zur Verfügung. Dort findet man sie unter

[OPTN] [F5] (STAT) [F3] (DIST) [F5] (BINM) und [F1] (Bpd).

Mit einer Mengenklammer können auch mehrere Werte eingegeben werden.

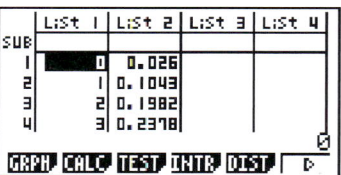

12 Matrizenrechnung

Matrizen eingeben

Die Eingabe erfolgt ab der 9860er-Serie im RUN-MAT-Menü (1).
Im alten Rechner CFX-9850GC PLUS gibt es noch ein eigenes Eingabemenü
MAT (3). Im RUN-MAT-Menü (1) drückt man die Funktionstaste, die mit MAT belegt ist (F1 im linearen Eingabemodus, F3 beim mathematischen Eingabemodus). Man wählt eine Matrix aus und legt die Dimension fest.

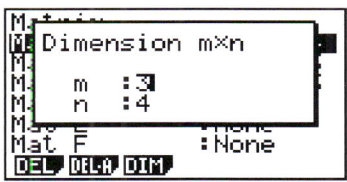

Die Elemente der Matrix werden eingegeben. Jede Eingabe wird mit EXE bestätigt. Korrekturen können nachträglich ausgeführt werden, indem man den Cursor wieder an die entsprechende Stelle setzt.

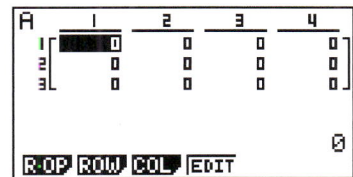

Weiterverarbeitung von Matrizen

Nach der Matrizeneingabe muss man wieder in das RUN-MAT-Menü zurückkehren. Dazu drückt man mehrmals auf EXIT.
Beim CFX-9850GC PLUS geht man über MENU in das RUN-Menü (1).
Mit OPTN F2 (MAT) öffnet man Funktionstasten für die Matrizen.
Sie bleiben solange offen, bis man mit zweimaligem EXIT wieder zurückkehrt.
Eine Matrix wird mit F1 (MAT) und Name der Matrix (z. B. A) aufgerufen.

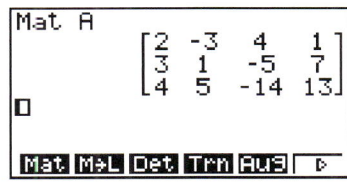

Grundrechenarten mit Matrizen

Jetzt kann man, wenn es die Dimension erlaubt, mit Matrizen Rechnungen durchführen.

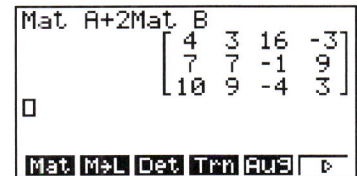

Matrix invertieren

Lässt sich eine Matrix invertieren, kann man mit

F1 (MAT) Name der Matrix und SHIFT)

ihre Inverse bestimmen.

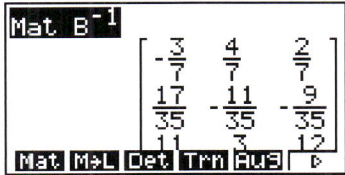

Abspeichern von Matrizen

Braucht man ein Matrix-Ergebnis für weitere Berechnungen, kann man sie in den Matrizenspeicher aufnehmen:

F1 (Mat) SHIFT (−) (Ans) → F1 (Mat) und Name der Matrix, unter welchem sie abgespeichert werden soll.

In Lerneinheit 3, S.8 wurden lineare Gleichungssysteme (LGS) im EQUA-Menü (3) behandelt. Dort konnte man nicht unterscheiden, ob ein LGS mehrfach lösbar oder unlösbar ist. Jetzt kann man differenzierter vorgehen.

Äquivalenzumformungen

Bei der Matrixeingabe kann man mit der $\boxed{\text{F1}}$ (R-OP)-Taste die vier Äquivalenzumformungen einer Matrix öffnen:

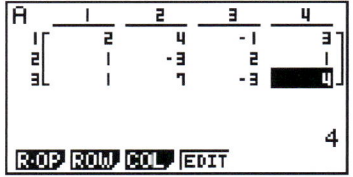

$\boxed{\text{F1}}$: SWAP   Vertauscht zwei Zeilen,

$\boxed{\text{F2}}$: XRw   multipliziert eine Zeile mit einem Faktor,

$\boxed{\text{F3}}$: XRw+   addiert das Vielfache einer Zeile zu einer anderen,

$\boxed{\text{F4}}$: Rw+   addiert eine Zeile zu einer anderen.

Matrizen auf Dreiecksform bringen

Die Funktion (Ref), die dies auf Tastendruck erledigt, kann als Update für die Rechner CFX-9850GC PLUS und für den fx-9860G zugeladen werden. Beim fx-9860GII ist sie bereits vorhanden. Mit

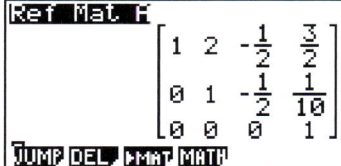

($\boxed{\text{OPTN}}$ $\boxed{\text{F2}}$ (MAT)) $\boxed{\text{F6}}$ (▷) $\boxed{\text{F4}}$ (Ref) $\boxed{\text{F6}}$ (▷) $\boxed{\text{F1}}$ (Mat) und Name der Matrix

wird die Matrix in der oberen Dreiecksform angezeigt.

Matrizen diagonalisieren

Mit

($\boxed{\text{OPTN}}$ $\boxed{\text{F2}}$ (MAT)) $\boxed{\text{F6}}$ (▷) $\boxed{\text{F5}}$ (Ref) $\boxed{\text{F6}}$ (▷)

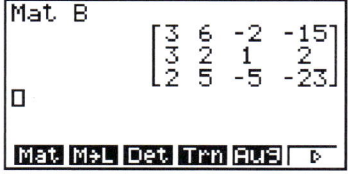 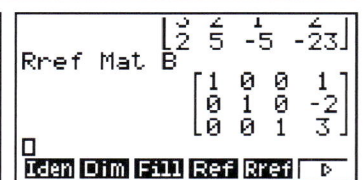

$\boxed{\text{F1}}$ (Mat) und Name der Matrix erhält man, wenn es möglich ist, die diagonalisierte Matrix. So kann die Lösung direkt abgelesen werden.

Mit Hilfe der Matrizendiagonalisierung kann jetzt klar unterschieden werden, ob das LGS unlösbar oder mehrfach lösbar ist. Sind eine oder mehr Zeilen Nullzeilen (d.h. die Zeile besteht nur aus Nullen), so zeigt dies, dass es unendlich viele Lösungen gibt, die mit den übrigen Zeilen berechnet werden können.

Besteht die letzte Zeile aus Nullen bis auf die Zahl in der äußersten rechten Spalte, so gibt es keine Lösung.

Ist ein LGS eindeutig lösbar, kann der Lösungsvektor mit Ref in der rechten Spalte abgelesen werden.